KB133120

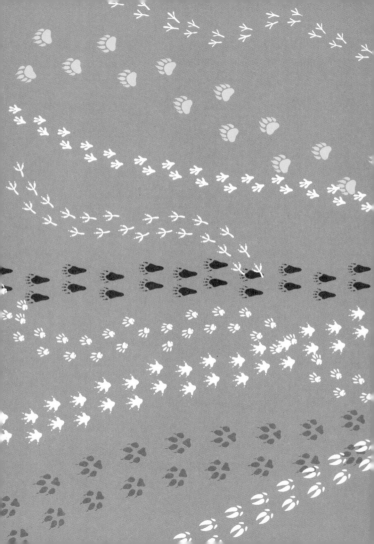

집에서 쫓겨났어

구구단 청소년출판팀 쓰고 그림

니은기역

"집에서 쫓겨난 적 있어?"

"우린 집에서 쫓겨났어."

수달

긴 수염, 긴 꼬리, 작은 눈에 둥근 머리, 회색빛 짧은 털을 가졌어요. 우리나라에 사는 수달은 몸길이가 65~75cm, 꼬리 길이가 40~55cm 정도 돼요.

땅에서 살기도 하고, 수영도 아주 잘해요. 발에 물갈퀴가 있거든요. 헤엄치기와 물고기 사냥을 좋아해요.

물고기와 개구리를 좋아해 잘 먹어요.

깨끗한 물이 아니면 살 수 없어요. 1급수 맑은 물과 깨끗한 물에 사는 다양한 물고기, 자연스러운 바위들이 있어야 편히 살 수 있어요.

우리나라에서는 천연기념물 제330호, 멸종위기 야생생물 1급으로 지정해 보호하는 동물이에요.

"우린 집에서 쫓겨났어."

팔색조

바닷가와 섬 또는 내륙 비탈진 숲이나 활엽수림에 주로 살아요. 몸길이는 약 18cm이고, 꽁지깃이 짧아요.

딱정벌레를 즐겨 먹고 기타 갑각류와 지렁이도 잡아먹어요.

일곱 가지 무지개색 깃털이 특징인데 햇빛에 따라 색이 달라 보이기도 해요. 다양한 매력을 가진 사람에게 팔색조라고 부르기도 하지요.

여름 철새인 팔색조는 해마다 5월 우리나라를 찾아와 새끼를 기르고, 10월쯤 남쪽으로 내려가 동남아시아 국가에서 겨울을 보내요.

1968년 5월 31일에 천연기념물로 지정되었고, 현재 멸종위기 야생생물 2급으로 보호받아요.

"우린 집에서 쫓겨났어."

금불초

전국 산과 들 어디서나 쉽게 볼 수 있는 여러해살이 식물이에요. 높이가 30~50cm이고, 꽃송이 하나의 지름이 3~4cm이며, 선명하고 밝은 노란색 꽃이에요.

황금색 부처님 같은 풀이라고 해서 금불초라는 이름이 붙었어요.

7월에서 10월 사이 꽃이 피어요. 벌개미취와 색만 다르고 생김새가 비슷한데 피어나는 시기도 비슷해서 친구처럼 보여요.

습기에 잘 견뎌서 습지에서도 볼 수 있어요.

고려시대엔 금불초가 나쁜 기운을 막아 준다고 믿어서 마을 입구에 걸어 놓았대요.

"우린 집에서 쫓겨났어."

참나무

우리나라 산과 들에서 흔히 보이는 참나무는 버릴 것 하나 없이 '참 좋은 나무'라는 의미를 가졌대요.

상수리나무, 굴참나무, 신갈나무, 떡갈나무, 갈참나무, 졸참나무 모두 도토리 열매를 맺는 참나무 종류예요.

계절이 바뀔 때마다 찾아오는 새와 야생동물, 그리고 먹이사슬을 지탱하는 데 가장 중요한 역할을 하는 곤충과 우리 눈에는 잘 보이지 않는 낙엽층, 균류, 미생물까지 살게 해 주는 멋진 친구예요. 참나무가 없으면 생태계에 큰 구멍이 생겨요.

참나무 열매인 도토리는 인간을 포함하여 많은 동물의 먹이가 되지요. 또 인간들은 참나무로 숯도 만들고, 표고버섯을 기르는 등 참나무 도움을 받아 살아 왔답니다.

"우린 집에서 쫓겨났어."

삵

마을 근처나 산골짜기 개울가에 살아요.

쥐 종류와 두더지, 다람쥐, 붕어, 비둘기 같은 작은 동물들을 먹어요.

삵의 흔적은 똥과 발자국으로 확인할 수 있어요. 삵의 똥에서 새의 깃털이 발견되곤 해요. 고양이는 똥을 묻지만, 삵은 드러내 영역을 표시해요.

생김새는 고양이와 비슷하지만 고양이와 달리 꼬리가 뭉뚝하고 얼굴에는 두 개의 일자 모양 줄무늬 선이 있어요.

매우 빠르고 점프력도 어마어마해요. 수영도 잘해서 물고기도 잘 잡아먹어요.

우리나라에서는 멸종위기 야생생물 2급으로 지정해 보호하는 동물이에요.

"우린 집에서 쫓겨났어."

긴꼬리딱새

긴 꼬리가 매력적인 여름 철새로 어두운 숲속 낮은 나뭇가지에 앉아 있다가 날면서 곤충을 잡아요.

정수리에 뒤로 향한 짧은 댕기가 있어요. 눈 테두리가 푸르고, 몸 윗면은 자주색 광택이 있는 검은색이며, 꼬리는 검은색을 띠어요.

파리, 딱정벌레, 매미, 메뚜기, 잠자리 등 곤충류를 잘 먹어요.

Y자형 나뭇가지 사이에 이끼, 나뭇잎, 거미줄 등을 섞어 컵 모양으로 둥지를 만들어요. 5월부터 3~5개 정도 알을 낳아 암수가 돌아가며 품어요.

우리나라 멸종위기 야생생물 2급이고, 세계적으로 수가 줄어들어 멸종 가능성이 커지고 있어요.

"우린 집에서 쫓겨났어."

앵초

물가나 습지에서 잘 자라는 여러해살이 야생화로 붉은빛이 강한 자주색 꽃이 특징이에요. 키가 작고 옹기종기 모여 피어나며 둘레 환경과 잘 어울려 소박하게 아름다움을 드러내요.

잎이 거의 둥근 큰앵초, 높은 산 위에서 자라는 설앵초, 잎이 작고 뒷면에 황색 가루가 붙은 좀설앵초 등이 있어요.

앵두꽃이나 벚꽃을 닮았다 하여 앵두, 벚나무 앵 자를 써서 이 이름이 붙었대요. 또는 꾀꼬리가 울 때 피는 꽃이라 하여 꾀꼬리 앵 자를 붙였다고도 하고, 꽃잎의 중앙에 난 구멍으로 바람이 앵앵거린다고 하여 앵초가 됐다고도 해요.

4~5월에 꽃을 피우며 꽃잎은 다섯 장이지만 끝이 움푹 패 열 장처럼 보이기도 하고 하트 모양처럼 보이기도 해요.

"우린 집에서 쫓겨났어."

서어나무

우리 산에서 흔하게 볼 수 있어요. 많은 생명이 살
도록 안정된 숲을 만들어 주는 고마운 나무예요.

서어나무는 오래된 숲에서 잘 보여요. 식물이 전혀
없던 땅이 숲이 되려면 이끼 혹은 곰팡이가 나타난
뒤로 풀과 키 작은 나무가 자라다가 서서히 키 큰
나무들로 채워지는데, 음지에서도 자랄 수 있는 서
어나무가 다른 나무들보다 오래 살 수 있어서 결국
오래된 숲을 이루게 된대요.

어느 나무보다 강한 서어나무는 겉모습도 매우 강
인해 보여요. 나무는 보통 나이테를 만들 때 영양분
을 골고루 나누어 자라므로 줄기의 굵기가 곧은데,
서어나무는 특정 부분에 양분을 집중해서 줄기의
굵기가 일정하지 않고 울퉁불퉁, 올록볼록해요. 사
람의 근육처럼 보인다고 해서 근육 나무라는 별명
을 갖고 있기도 해요.

"우린 집에서 쫓겨났어."

오소리

주로 숲의 가장자리를 따라 살고, 나무나 바위틈, 굴 안에서 쉬기도 해요. 원통 모양 얼굴, 작은 귀, 뭉툭한 주둥이, 얼굴에 있는 검고 흰 줄무늬가 특징이에요.

작은 설치류나 조류, 뱀, 지렁이, 곤충, 과일, 견과류, 식물의 뿌리를 먹어요.

보통 몸길이는 50~80cm 정도예요. 자기보다 큰 동물을 사냥할 수 있어요.

다리는 굵고 발톱이 크고 날카로워 땅을 파기에 좋아요. 땅굴도 잘 파고 굴 안에 방을 만들 수 있는 멋진 동물이에요. 굴 입구에 경사진 턱을 만들어 빗물이 못 들어오게 하고, 도망갈 길을 따로 뚫어 놓고, 침실과 화장실 등 방을 나누어 짓는 대단한 건축가예요.

"우린 집에서 쫓겨났어."

솔부엉이

흔한 여름새이며 나무 구멍에서 주로 살아요. 몸길이는 약 29~34cm로 수리부엉이보다 작아요. 꽁지깃이 길고 얼굴이 좁으며 머리에 귀 모양 깃이 없어서 옆에서 보면 매처럼 보이기도 해요.

몸집이 날렵하고 작은 데다 주로 어스름 저녁부터 새벽 사이에 사냥하며 나무껍질 같은 무늬를 가지고 있어 눈에 잘 띄지 않아요.

딱따구리가 버린 구멍에서 주로 살며, 5~7월쯤 3~5개 알을 낳아요. 희고 둥근 알을 암컷이 25일 정도 품고, 새끼가 태어나면 다 자랄 때까지 28일 정도 먹여 키워요.

주로 메뚜기나 잠자리, 나방 같은 작은 곤충을 먹지만 도마뱀이나 개구리, 작은 들새도 잡아먹어요.

"우린 집에서 쫓겨났어."

물봉선

봉선화과에 속하는 한해살이풀로 주로 산골짜기 물가나 습지에서 무리 지어 살아요. 개울가를 걷다가 물봉선이 있는지 살펴보세요.

꽃은 8~9월에 붉은빛이 강한 자주색으로 피고 꽃의 지름은 보통 3cm이며 꽃받침조각과 꽃잎이 세 장씩 있어요. 꽃 안쪽에 흰색과 노란색이 어우러져 있고 자주색 점들이 박혀 있어 화려해요.

곤충이 내려앉기 좋게 꽃잎 두 장이 아래로 나 있고, 꿀주머니가 뒤로 길게 뻗어 있는데, 끝이 돼지꼬리처럼 귀엽게 말려 있어요.

씨주머니를 건드리면 주머니가 터지면서 씨앗이 튀어나와요. 씨앗을 멀리 보내려는 의지가 느껴져요.

"우린 집에서 쫓겨났어."

밤나무

우리나라 어느 곳에서나 흔히 볼 수 있어요.

밤은 영양분을 듬뿍 저장한 맛있는 열매로 야생동물
들에게 중요한 먹이가 돼요. 또 밤꽃은 벌들에게 맛
난 꿀을 주지요. 밤은 배고픈 이의 배를 채워 주어 밥
처럼 든든하다 해서 밥나무 밥나무 하고 불리다가
밤나무가 되었다는 설도 있어요.

밤송이엔 뾰족한 가시가 있는데, 상대를 공격하기
위해서가 아니라 스스로 보호하기 위해서 있어요.
밤은 열매 자체가 씨앗이기도 해서 다른 동물에게
먹히지 않으려고 가시 돋친 송이로 자신을 보호하
는 거예요.

싹이 트고 나면 땅속에서 썩는 다른 씨앗들과 달리
땅속에 묻힌 씨밤은 뿌리에 매달려 있다가 나무가
자라서 씨앗을 맺은 뒤에야 썩기 시작한대요.

"우린 집에서 쫓겨났어."

모두 집에서 쫓겨났어. 왜냐고? 저기 다랑논
이 보이지? 그 위로, 산 어딘가 흙이 드러난 곳
이 보이니? 저기로 가자.

여기는 내가 물줄기를 따라 올라오던 구례 산동면 큰번데기 숲이야.

이곳은 내 집이기도 하고 숲 친구와 물 친구 모두의 집이기도 해.

나는 자유롭게 먹이를 찾아 여기저기 돌아다녀.

이곳은 아늑하고 평화로워서 쉬러 자주 왔어.

그런데 어느 날 와 보니 수백 년 된 굵은 아름드리가 다 베어져 있었어.

숲이 사라졌어.
물줄기도 여기저기 막혔어.
처음엔 믿을 수 없었어.
눈을 몇 번이나 비볐지.
그런데 정말 일어난 일이야.
고개를 아무리 돌려봐도 친구들은 없었어.

한 마디도 할 수 없이 슬펐어.
그저 멍하니 이 모습을 바라보고 있었어.
그때 요란한 기계 소리가 들렸어.
인간들이 말하는 소리와 함께.
나는 얼른 몸을 숨겼어.

나는 지난 지구의 날에 구례 어린이들이 "지구를 지켜요, 나무를 베지 마세요, 쓰레기를 버리지 마세요!" 하고 외치던 소리를 기억해.

정말 멋지다고 생각했어.

안 그래도 섬진강 물이 줄어들고 날이 너무 더워져서 힘들었거든.

그런데 나무를 더 심기는커녕 이렇게 많은 나무를 다 베어 내다니, 어떻게 그럴 수 있어?

나는 아무것도 할 수 없었어.

죽은 나무를 생각하며 고개를 떨구고 있었지.

내가 슬픔에 빠져 있을 때 긴꼬리딱새가 내게 다가왔어.

이 숲 바로 밑 사포마을 사람들이 "지리산을 지켜라, 골프장이 웬 말이냐!" 하고 외치는 소리를 들었다고 했어.

우리 숲에 골프장이 생길 수도 있다고? 지리산 국립공원과 가까운 이곳에?

나는 이 숲이 환경부 기준에 따라 '생태·자연도 1등급'이라느니, 나와 같은 수달이 '멸종위기 야생생물 1급'이라느니 하는 인간들 말은 무슨 말인지 잘 모르겠지만, 이것만은 알아.

모든 숲엔 헤아릴 수 없을 만큼 많은 생명이 살아가고 있다는 거야.
인간 눈에 다 보이지 않는 무수한 목숨이 숲에 기대어 살고 있어.
나무 한 그루만 베어도 집을 잃는 이들이 있어.

이렇게 엄청나게 많은 나무를 베고 흙을 파헤치고 물길을 막으면 인간이 상상할 수 없을 만큼 어마어마한 생명이 집에서 쫓겨나는 거야.

이 숲 밑 사포마을에도 사람들이 살고 있잖아.
사포마을은 다랑논으로 유명한 곳이야.
사계절 풍경이 아름다워서 해마다 전국에서
사진을 찍으러 오는 걸 봤어.

긴꼬리딱새는 이번에 한국내셔널트러스트 '이
곳만은 꼭 지키자' 공모전에서 구례 사포마을
다랑논이 환경부장관상을 받았다는 소식도 전
해 줬어.
정말 이곳만은 꼭 지켜야 한다고 환경부장관
도 인정한 셈이지.

그런데 이 소중한 다랑논 위로 27홀 규모 골
프장이 들어서면, 이제 다랑논은 그리고 사포
마을은 어떻게 될까.

골프장엔 제초제, 농약, 살충제 같은 화학약품
을 많이 뿌린다고 하던데.
물도 어마어마하게 쓰고, 밤에 전기도 계속 쓰
고 말이야.
경사진 비탈을 따라 제초제나 농약이 흘러 내
려가면?
숲 친구들도, 물 친구들도, 그리고 다랑논도,
산수유도, 마을 사람들도 괜찮을까?
나는 걱정스러워.

벌써 더러워진 물을 봐!
여기 더 있을 수 없겠어.

숲에서 도망쳐 나오는데, 물가에서 앵초를 만
났어.
앵초들은 오지도 가지도 못하고 꼼짝없이 무
시무시한 소리를 들으며 떨고 있었어.

아무리 많은 돈을 준다고 해도 내 친구, 내 가족이 사라지는 일이라면 난 절대 허락하지 않을 거야!

숲은 우리가 먹고 자고 사랑하고 새끼를 낳아 기르는 집이야.

인간에게 집이 소중하듯 우리에게도 이 숲이, 우리 집인 이 숲이 정말 소중해.

우리 집을 부수고는 '괜찮다'고 말하는 인간들에게 말하고 싶어.
나는 집에서 쫓겨났어.
하나도 괜찮지 않아.
하나도.

마치며

저는 이 활동을 하면서 많은 걸 느꼈어요. 구례가 어떤 상황에 처했는지 어떻게 구례를 지킬 것인지도 많이 생각했어요. 이 책을 만드는 일이 정말 좋은 일이라고 느꼈어요. —효원

내가 살고 있는 구례에 무슨 일이 일어나고 있는지 알게 되었어요. 내가 지금 살고 있고 앞으로도 살아갈 구례가 지켜졌으면 좋겠다고 생각했어요. 이 책을 읽고 많은 사람이 구례와 지리산에 무슨 일이 일어나고 있는지 알아줬으면 좋겠어요! —하란

우리 구례는 훼손될 게 아니라 보호받아야 한다는 생각이 들었어요.
많은 사람이 이 책을 읽고 동식물들이 왜 쫓겨났는지 알게 되면 좋겠어요. 저희처럼 구례를 지켜야 한다는 생각을 가지고 함께 구례와 지리산을 지키면 좋겠어요. —율희

고마운 분들께,

사포마을 이장님을 포함하여 '사포마을 골프장 건설 저지를 위한 비상대책위원회'가 구구단 청소년출판팀의 탐방을 도와주시고 환대해 주셨습니다. 고맙습니다.

28-29쪽 드론 사진은 '한국내셔널트러스트'로부터, 골프장 예정지 숲과 다랑논 사진은 '지리산사람들', '사포마을 골프장 건설 저지를 위한 비상대책위원회', 『지리산-인』으로부터 받았습니다. 고맙습니다.

집에서 뚝겨났어
© 구구단 청소년출판팀, 니은기역

2024년 1월 6일, 춥고 고요한 절기 소한에 처음 펴냄
구구단 청소년출판팀 구례여중 한율희, 문효원, 구하란 (하파타순) 그리고 니은기역 지음

펴낸곳 니은기역 | 펴낸이 문현경
출판등록 제487-2019-000003호 | 주소 전남 구례군 구례읍 백련마을
이메일 mhghg@naver.com | 블로그 blog.naver.com/mhghg

ISBN 979-11-93365-02-1 (00810)

환경을 위해 표지를 코팅하지 않았어요.
표지는 FSC 인증 종이를, 본문은 재생종이를 사용했습니다.

책값은 뒤표지에 있습니다.
모든 판매 수익금을 '지리산골프장 건설에 반대하는 구례 사람들 (지리산골프장백지화연대)'에 기부합니다.

책 짓고, 농사짓고, 기후 악당에겐 짖어요!
틀을 깨는 기록, 순서를 뒤엎는 몸짓, 니은기역

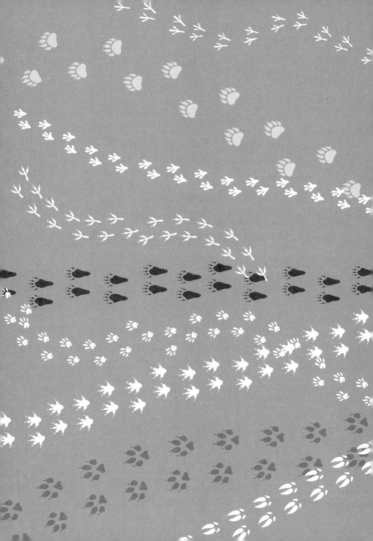